Cyhoeddwyd gyntaf yn 2014 gan Wasg Gomer, Llandysul, Ceredigion SA44 4JL
www.gomer.co.uk

ISBN 978 1 84851 653 3

Cyhoeddwyd gyda chymorth ariannol Cyngor Llyfrau Cymru.

Argraffwyd a rhwymwyd yng Nghymru gan Wasg Gomer, Llandysul, Ceredigion SA44 4JL

Siwsi'r Seiclops

Caryl Parry Jones

Christian Phillips

Lluniau Ali Lodge

Gomer

Ydych chi erioed wedi bod ym
Mharc y Bore Bach?
Beth ydych chi'n feddwl, 'Naddo'?
Ond dyna lle mae'r creaduriaid hudol
yn byw. A wyddoch chi beth?
Mae'n hollol WYCH!

Maen nhw i gyd yn byw yna . . . y dreigiau, y môr-forynion,
y griffiniaid, yr Ungorn, yr Ieti, yr Eliffant Anghofus
(mwy amdano fo nes 'mlaen) a . . .

SIWSI'R SEICLOPS.

Rŵan 'ta, mae Siwsi'n anarferol . . . wel, yn amlwg, mae'n rhaid i chi fod ychydig bach yn anarferol i fyw ym Mharc y Bore Bach. Ond mae Siwsi'n anarferol am mai dim ond **UN** llygad sydd ganddi – **UN** llygad anferth reit yng nghanol ei thalcen.

Wrth gwrs, dydi hyn ddim yn anarferol
o gwbl os ydach chi'n seiclops.
Mi fydda hi'n anarferol IAWN
petai ganddyn nhw **DDAU** lygad
achos **UN** llygad yn unig sydd
gan bob seiclops.

Mae gan fam Siwsi,
Mama Elsi Seiclops, **UN** llygad mawr brown.

Mae gan ei thad,
Tada Elwyn Seiclops,
UN llygad mawr gwyrdd.

Ac mae gan ei brawd,
Brawd Mawr Syril Seiclops,
UN llygad mawr llwyd.

Ond mae gan Siwsi y llygad glas
deliaf, disgleiriaf a gloywaf welodd
unrhyw un erioed.

Ac mae hi wedi gwirioni arno.

Mae Siwsi wrth ei bodd mai seiclops ydi hi ac mae'r ffaith fod ganddi **UN** llygad yn gwneud iddi deimlo'n arbennig iawn. Mae hi'n dwlu ar y rhif **UN**. Hwnnw yw ei hoff rif hi. (Ei hail hoff rif yw **UN** ar ddeg achos mae hwnnw'n ddau **UN** tydi? **1** ac **1**).

A dweud y gwir, cafodd Siwsi'r Seiclops ei geni am **UN** eiliad wedi **UN** funud wedi **UN** o'r gloch ar ddiwrnod **CYNTAF** y mis **CYNTAF** yn y flwyddyn . . . **1**!

Mae hi'n hoffi **UN** o bopeth.

UN wy i frecwast am wyth o'r gloch ar ei ben . . . wel, **UN** funud wedi wyth i fod yn fanwl.

UN darn o gig, **UN** daten ac **UN** foronen i ginio. Mae'n eu bwyta gydag **UN** gyllorc neu **UN** fforcell . . . BYTH cyllell a fforc. A hynny am **UN** o'r gloch.

Ac **UN** afal, **UN** oren ac **UN** banana i swper. Am **UN** funud wedi chwech.

Os ydi hi'n teimlo fel mynd ar ei beic o amgylch Parc y Bore Bach, dydi hi ddim yn reidio beic dwy olwyn, mae'n well ganddi reidio ei beic **UN** olwyn.

Ac yn fwy na hyn, os ydi hi eisiau rhedeg o gwmpas y lle, dydi hi ddim yn rhedeg ar ddwy goes, mae'n well ganddi hopian ar **UN** goes.

Ac yn fwy fyth, os nag ydi hi'n teimlo fel mynd ar ei beic **UN** olwyn neu hopian o gwmpas y lle, mae hi'n bownsio i fyny ac i lawr ar ei ffon bogo lachar drwy'r dydd.

Ond wrth gwrs, dydi hoffi **UN** o bopeth ddim
bob amser yn gweithio i Siwsi. Pan mae hi'n
amser gwely a Mama Elsi Seiclops yn gofyn
iddi wisgo pâr o slipars, mae hi'n trio
gwasgu ei dwy droed i mewn i **UN** slipar.
Sydd ychydig bach yn anghyffyrddus.

Ac yn y bore, pan mae Tada Elwyn
Seiclops yn gofyn iddi wisgo pâr o drowsus,
mae hi'n rhoi ei dwy goes i mewn i
UN goes, ac fel arfer . . . mae hi'n cwympo
fel sach o datws!

Ac un tro, fe aeth hi i Lagŵn y Fôr-forwyn i chwarae yn ei chwch bach. Ond am ei bod hi'n defnyddio **UN** rhwyf yn unig, y cyfan wnaeth hi oedd troi yn yr unfan am oriau. Roedd hi'n gweld sêr!

A phan mae hi'n mynd i sglefrolio gyda'i Brawd Mawr Syril Seiclops, mae hi'n rhoi ei dwy droed ar **UN** sglefrolyn. Ond dydi hi ddim yn mynd yn bell iawn.

Un diwrnod, aeth Siwsi i chwarae yn y parc. Fe gafodd hi gymaint o hwyl yn . . .

llithro ar y llithren . . .

a siglo ar y siglen . . .

a mynd rownd a rownd ar y chwyrligwgan . . .

. . . cyn mentro ar y ffrâm ddringo.

Ond yna fe welodd hi y sî-sô.

Fe redodd ato'n llawn cyffro ac eistedd arno.
Arhosodd iddo fynd i fyny ac i lawr, i fyny
ac i lawr. Ond ddigwyddodd dim byd.

'O diar,' meddyliodd Siwsi, 'dyw'r sî-sô 'ma ddim yn gweithio!
Dylai fynd lan a lawr. Dylai fynd lan yn uchel i'r awyr ac yna nôl lawr 'to.
Mae wedi torri.'

Aeth Siwsi i bwdu'n ofnadwy.

Pwy oedd yn digwydd pasio ond Gruff Griffin. Sylwodd nad oedd Siwsi'n edrych yn rhy hapus.

'Be' sy'n bod Siwsi Seiclops?' gofynnodd.

'Yr hen sî-sô twp 'ma!' atebodd Siwsi, 'dwi wedi bod yn eistedd ac eistedd ond sdim byd yn digwydd. Mae rhywun ym Mharc y Bore Bach wedi torri'r sî-sô!'

Gwenodd Gruff gan ddweud, 'Siwsi fach, dydi'r sî-sô ddim wedi torri. Mae eisiau **DAU** i eistedd arno i'w gael i weithio. Mae pawb yn gwybod hynny. Hyd yn oed yr Eliffant Anghofus – pan mae o'n cofio.'

'Ond dwi ddim yn hoffi **DAU**,' meddai Siwsi, '**UN** yw fy hoff rif i.'

Felly dywedodd Gruff, 'Wel tasa 'na ond **UN** yn eistedd arno, dim ond Sî fyddai o. Neu Sô . . . byth yn Sî-Sô. Gwranda, beth petawn *i*'n eistedd ar un pen a thithau ar y pen arall? Gawn ni weld be' fydd yn digwydd wedyn.'

yna yn ôl
i lawr eto

A dyna ddigwyddodd.
Aeth Siwsi'r Seiclops
yn syth i'r awyr,

ac yna yn ôl
i fyny eto.

Ac roedd hi'n chwerthin
lond ei bol!
Dyna'r hwyl gorau gafodd
hi erioed.

Fe feddyliodd Gruff am rigwm fach a phopeth . . .

'Siwsi Fach y Seiclop ar y sî-sô

'Yn isel ar y llawr yna'n uchel at y to!'

Ymunodd holl greaduriaid eraill Parc y Bore Bach
â Gruff a Siwsi. Fe wthion nhw ei gilydd ar
y siglen a llithro bob yn **DDAU** i lawr y llithren.
Fe chwyrlïon nhw i gyd ar y chwyrligwgan
a chwarae yn y parc nes oedd hi'n amser te
(oedd siŵr o fod tua'r **UN** funud wedi
pedwar 'ma).

Ac fe sylweddolodd Siwsi'r Seiclops
fod chwarae'n llawer mwy o hwyl
gyda ffrindiau.

Ac mi roedd hi'n eu caru nhw
bob **UN**!